A HISTÓRIA DE ANNE FRANK

Inspirando novos leitores

— Escrita por —
Emma Carlson Berne

— Ilustrada por —
Annita Soble

Traduzida por **Cláudia Mello Belhassof**

astral cultural

Este livro foi revisado segundo o Novo Acordo Ortográfico da Língua Portuguesa.

Editora Natália Ortega
Produção editorial Esther Ferreira, Jaqueline Lopes, Renan Oliveira e Tâmizi Ribeiro
Preparação de texto João Guilherme Rodrigues
Revisão Alessandra Volkert
Ilustrações: Annita Soble **Ilustrações Mapas** Creative Market
Capa Lindsey Dekker
Design Angela Navarra
Foto da autora Amanda Sheehan
Fotografias usadas sob a licença de Alamy

Dados Internacionais de Catalogação na Publicação (CIP)
Angélica Ilacqua CRB-8/7057

Berne, Emma Carlson
A história de Anne Frank / Emma Carlson Berne ; tradução de Cláudia Mello ; ilustrações de Annita Soble. -- Bauru, SP : Astral Cultural, 2022.
64 p. : il., color.

Bibliografia
ISBN 978-65-5566-229-0
Título original: Story of Anne Frank

1. Literatura infantojuvenil 2. Frank, Anne, 1929-1945 3. Guerra Mundial, 1939-1945 4. Holocausto judeu (1939-1945) I. Título II. Mello, Cláudia III. Soble, Annita

22-2311 CDD 028.5

Índices para catálogo sistemático:
1. Literatura infantojuvenil

BAURU
Rua Joaquim Anacleto
Bueno 1-20
Jardim Contorno
CEP: 17047-281
Telefone: (14) 3879-3877

SÃO PAULO
Rua Major Quedinho, 111 - Cj. 1910, 19º andar
Centro Histórico
CEP 01050-904
Telefone: (11) 3048-2900

E-mail: contato@astralcultural.com.br

SUMÁRIO

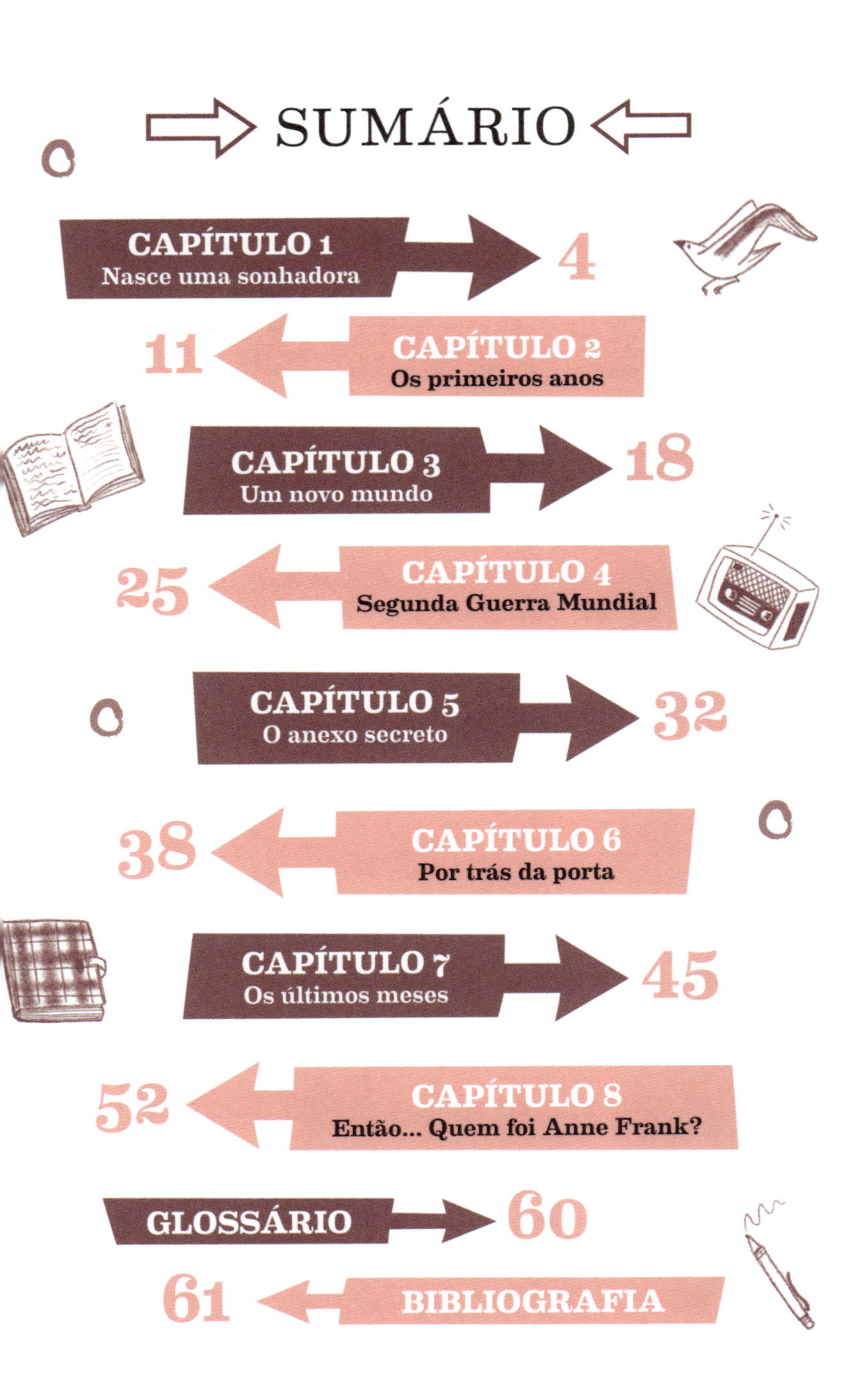

CAPÍTULO 1

NASCE UMA SONHADORA

Conheça Anne Frank

Anne Frank nasceu com uma imaginação fértil. Às vezes, ela passava a noite na casa da amiga, que morava ao lado. Todas as vezes que ia, levava consigo uma mala vazia, porque sentia que não estava "viajando" de verdade se não estivesse carregando uma mala.

Anne tinha cabelos castanhos e compridos, que adorava escovar. Ela gostava de roupas elegantes, de estrelas de cinema e de receber atenção. Também gostava de pensar e de ler. Ela queria ser escritora quando crescesse.

Durante a **Segunda Guerra Mundial**, Anne morava na Holanda, na cidade de Amsterdã. Ela morreu durante o **Holocausto**, quando tinha apenas quinze anos, por ser judia.

Entre os anos de 1941 e 1945, o ditador alemão Adolf Hitler matou seis milhões de **judeus** em toda a Europa. Ele queria ser o governante mais poderoso de todos os países do continente. E, por odiar os judeus, ele não queria que esse povo existisse.

— PARA — PENSAR

Os **nazistas** tinham preconceito contra os judeus. Na sua vida, você já vivenciou algum tipo de preconceito? Descreva o que aconteceu e como se sentiu?

Anne e sua família passaram dois anos se escondendo dos soldados de Hitler, conhecidos como Schutzstaffel, ou **SS**, e também da **Gestapo**. Nesse período, Anne escreveu seus pensamentos em um diário.

Mesmo sofrendo, ela escrevia sobre esperança e amor. E, embora vivesse em um mundo cheio de ódio, Anne acreditava que as pessoas ainda eram boas e que uma realidade melhor logo surgiria. Hoje, Anne não está mais viva, mas as palavras dela estão guardadas em seu diário. Crianças de todo o mundo podem ler esses textos. E, assim, elas conseguem imaginar como era ser uma criança judia durante a Segunda Guerra Mundial.

Além disso, as crianças podem entender que, mesmo quando coisas terríveis acontecem, você não precisa deixar de ter esperança.

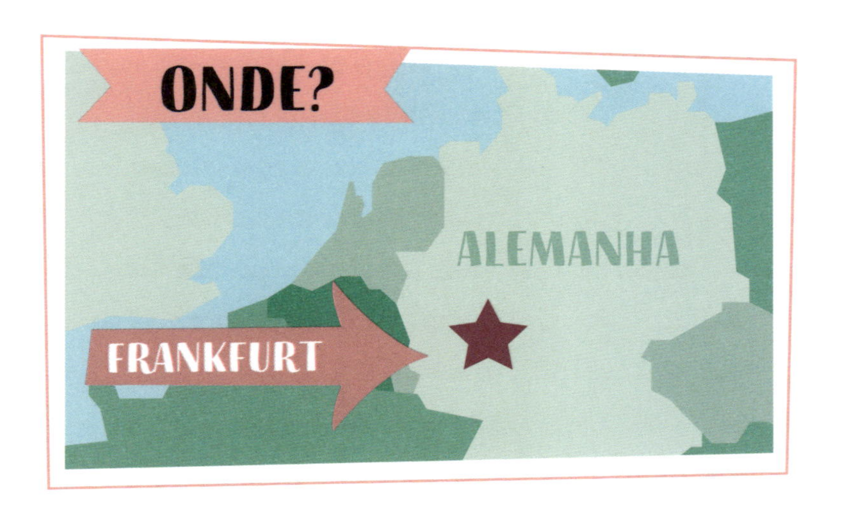

O mundo de Anne

Anne nasceu em 12 de junho de 1929, em Frankfurt, na Alemanha. Ela morava com a irmã mais velha, Margot, e com os pais, Otto e Edith, em um apartamento com um quintalzinho e muito espaço para livros.

Otto era comerciante. A família dele vivera na Alemanha por muitas gerações, assim como muitas famílias judias. Na época em que Anne nasceu, o país ainda estava se recuperando da derrota na **Primeira Guerra Mundial**. Essa longa guerra durou quatro anos, tirou milhões de vidas e custou muito dinheiro ao país. O povo alemão estava perdendo emprego e, por isso, sentia raiva. Eles achavam que tinham sido tratados injustamente após a guerra.

Alguns líderes alemães diziam aos cidadãos de seu país que a culpa pelos problemas que estavam sofrendo era do povo judeu. Um desses líderes era Adolf Hitler. Ele comandava um grupo político chamado Partido Nacional Socialista dos Trabalhadores Alemães — também conhecido como Partido Nazista. Em 1925, Adolf Hitler publicou um livro chamado *Mein Kampf*, que, em alemão, significa "Minha luta". O livro afirmava que todos os judeus deviam ser assassinados ou removidos da sociedade. Hitler escreveu que o mundo devia ter acabado com todos os judeus durante a Primeira Guerra Mundial.

Esse ódio contra judeus é chamado de **antissemitismo**. Ele já existia na Europa e em todo o mundo séculos antes da Primeira Guerra Mundial acontecer. Com frequência, os judeus eram usados como **bodes expiatórios**, **discriminados**, expulsos de suas casas e até mesmo assassinados só por serem judeus.

O pai de Anne estava preocupado. O antissemitismo estava ficando cada vez pior. Havia rumores de que outra guerra estava chegando.

CAPÍTULO 2
OS PRIMEIROS
ANOS

Crescendo na Alemanha

Para Anne e Margot, as preocupações do pai pareciam distantes. As irmãs viviam cercadas de amor em um apartamento cheio de luz em Frankfurt. O pai, que elas chamavam de "Pim", contava muitas histórias e as levava para visitar os avós. Anne também gostava de tirar sonecas na cama dos pais e de brincar com Margot na caixa de areia. Com frequência, os amigos iam brincar e lanchar com as meninas.

Anne chorava muito quando era bebê. Margot queria brincar com a irmãzinha, mas, quando estava acordada, Anne só sabia gritar. Otto muitas vezes se levantava no meio da noite para massagear a barriguinha de Anne para a filha poder voltar a dormir. Quando Anne ficou um pouco mais velha, parou de chorar o tempo todo. Ela se transformou em uma criança forte, inteligente e risonha, que adorava atenção. Anne gostava de conseguir o que queria. E, se não conseguisse, ela às vezes tinha acessos de birra.

MITO  FATO

Mito: O povo alemão não queria que Adolf Hitler os liderasse.

Fato: Hitler era muito popular entre o povo alemão. Milhões de pessoas queriam que ele fosse o líder do país.

Embora a casa deles fosse feliz, as preocupações de Otto e Edith cresciam. Em janeiro de 1933, quando Anne tinha três anos, Hitler se tornou o líder da Alemanha. Em pouco tempo, ele fez o país passar de uma **democracia** para uma **ditadura**. Hitler tomava todas as decisões. Na primavera de 1933, o Partido Nazista disse que o povo da Alemanha não tinha permissão para fazer compras em nenhuma loja em que os donos fossem judeus. Professores judeus foram demitidos das escolas públicas, e os nazistas queimaram livros de escritores judeus.

A Alemanha estava rapidamente se tornando cada vez mais perigosa para os judeus. Otto e Edith sabiam que talvez tivessem que fazer algo para manter as filhas em segurança, e eles estavam certos.

Fugindo de casa

No verão de 1933, Otto e Edith tomaram uma decisão: a Alemanha era perigosa demais para os judeus. A família tinha decidido se mudar para Amsterdã, a capital da Holanda.

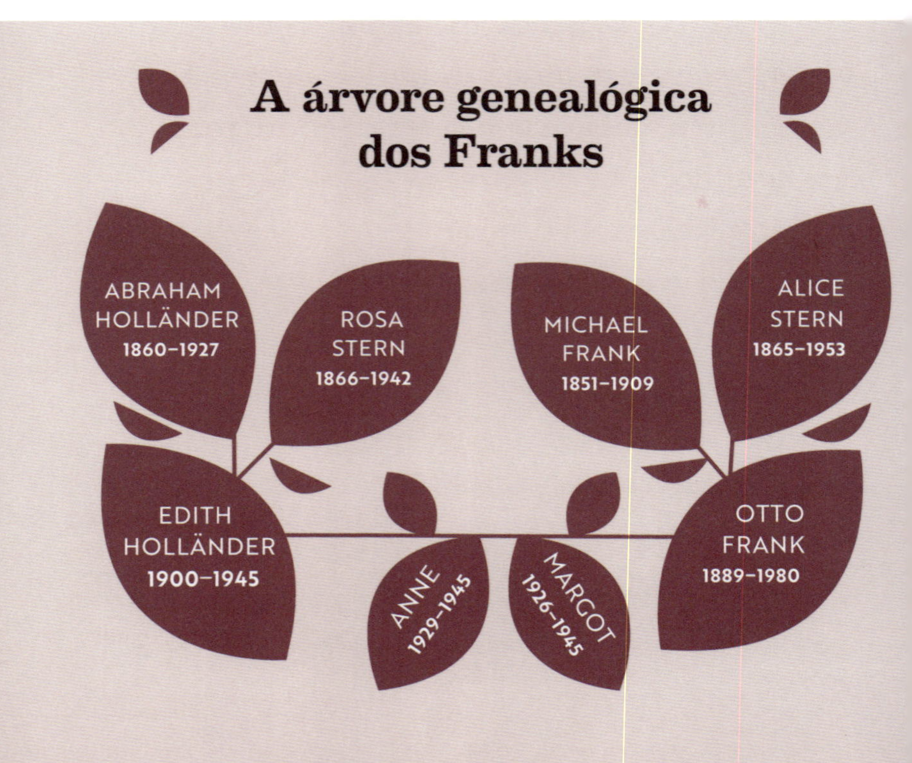

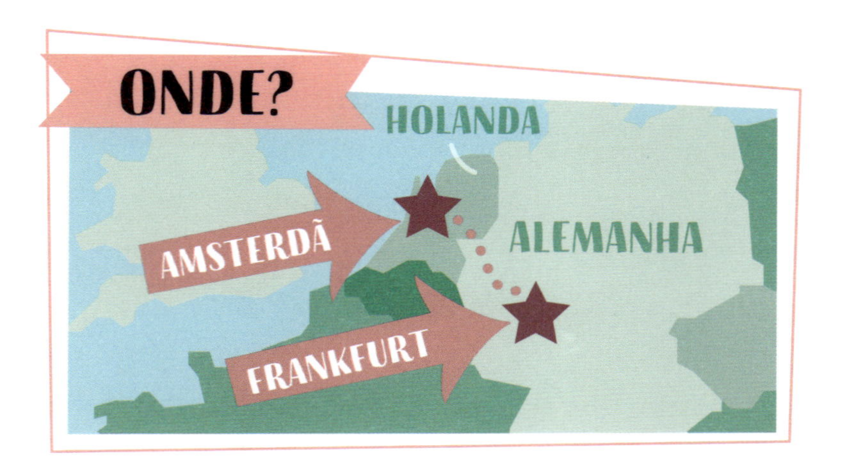

Eles escolheram ir para lá por não ficar muito longe, e Otto já falar holandês. Tão importante quanto isso, a Holanda tinha um histórico de ser **neutra** durante as guerras. E, por isso, Otto achava que lá seria seguro para sua família.

Otto partiu primeiro para Amsterdã, e Edith logo se juntou ao marido para procurar um apartamento para a família Frank. Anne e Margot ficaram com parentes. Em dezembro de 1933, Edith já tinha organizado tudo e foi buscar as filhas.

— PARA — PENSAR

Imagine ser uma criança nova na escola ou no seu bairro. Como você faria novas amizades?

Depois de meio ano, a família estava reunida na casa nova, no novo país.

Tudo lá era diferente. Otto abriu um novo negócio e o restante da família teve que aprender holandês — Margot e Anne aprenderam rapidamente, mas Edith teve dificuldade.

Em comparação à casa da Alemanha, o apartamento na Holanda era pequeno; e todos sentiam falta dos amigos alemães.

Muitas outras famílias judias que fugiram da Alemanha também tinham ido morar em Amsterdã, inclusive no mesmo bairro que a família Frank. Anne começou a frequentar o jardim de infância e fez amizade com uma garota chamada Hanneli Goslar, que também falava alemão. Em frente ao prédio em que moravam, as meninas brincavam de amarelinha e esconde-esconde com outras crianças do bairro. Os pais jantavam juntos no

Shabat, às sextas-feiras. Na Holanda, muitas pessoas acolhiam e ajudavam judeus. Eles não acreditavam nas mensagens antissemitas vindas da Alemanha. A Alemanha e seu perigoso líder estavam logo do outro lado da fronteira, mas o povo judeu estava seguro em Amsterdã. Otto tinha certeza disso.

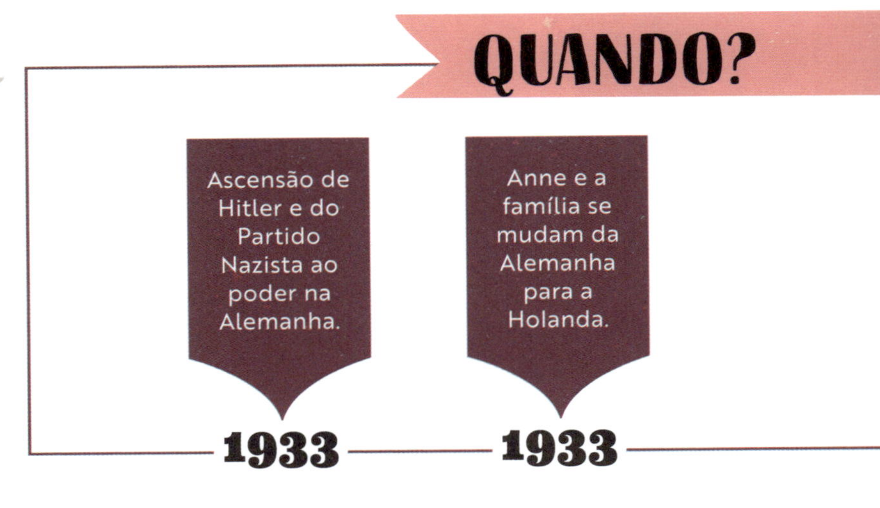

CAPÍTULO 3

UM NOVO MUNDO

A vida em Amsterdã 

Em Amsterdã, Anne estava crescendo e se tornava cada vez mais inteligente. Ela ainda amava ser o centro das atenções e continuava gostando de escrever. Desde cedo, ficou claro que ela também era muito boa com as palavras.

Anne fez muitos novos amigos onde morava. Eles andavam de bicicleta juntos, tomavam sorvete depois da escola e brincavam na casa uns dos outros.

A casa de Anne era um lugar aconchegante e alegre. Otto contava histórias e ensinava músicas para as meninas. Edith servia limonada, pãezinhos com requeijão e pedaços de chocolate no lanche.

> “Eu quero escrever, mas, mais do que isso, quero trazer à tona todas as coisas que estão **enterradas no fundo do meu coração.**”

— PARA — PENSAR

Anne, às vezes, sentia que a família não a levava a sério. E você? Descreva um momento em que sentiu que sua família não entendia alguma coisa a seu respeito. Como você se comunicou com eles?

Anne e a irmã mais velha eram o oposto. Margot era quieta, como a mãe. Sempre obedecia às regras e não discutia quando discordava de algo — diferente de Anne, que era barulhenta e tempestuosa. Anne achava que o pai a entendia melhor do que a mãe.

Enquanto isso, a vida estava ficando cada vez mais perigosa para os judeus que tinham ficado na Alemanha. Em 1936, quando Anne tinha sete anos, Adolf Hitler tinha aprovado mais leis antissemitas. Ele decidiu que o povo judeu não podia votar nem se casar com pessoas que não fossem judias. Os nazistas também criaram **campos de concentração** como prisões para as pessoas de quem eles não gostavam. Nesses campos, os nazistas as obrigavam a fazer trabalhos forçados. E, em 1938, começaram a prender judeus lá.

Então, em 1º de setembro de 1939, as tropas de Hitler invadiram a Polônia. Hitler não se contentou em controlar apenas o próprio país. Agora, também estava assumindo o controle de outros lugares. Ele tinha que ser detido. A Grã-Bretanha e a França declararam guerra à Alemanha, e, assim, a Segunda Guerra Mundial havia começado.

Hitler domina

Depois de invadir a Polônia, Hitler avançou sobre a Dinamarca e a Noruega. Em maio de 1940, Hitler invadiu a Holanda. As tropas alemãs passaram a controlar Amsterdã, e a vida de Anne mudou para sempre.

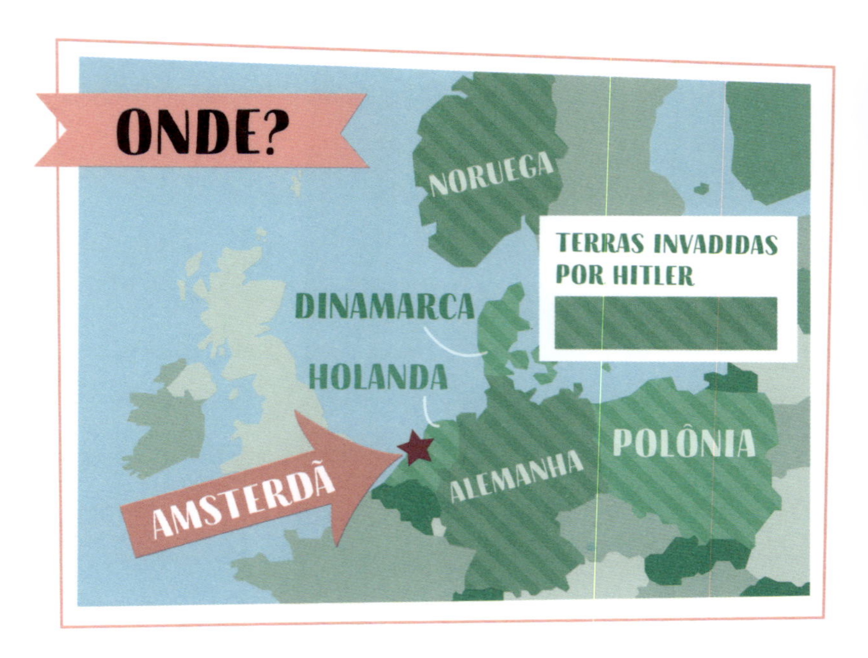

Logo após a invasão, os nazistas declararam que os judeus não podiam mais trabalhar como professores em escolas e universidades. Em janeiro de 1941, os judeus tiveram que se registrar no governo para que pudessem ser rastredos. Em fevereiro, os nazistas começaram a prender judeus e a enviá-los para campos de concentração. Em setembro de 1941, eles não podiam mais ir ao cinema e a restaurantes. Eles não podiam nem ir à praia. E foram proibidos de visitar zoológicos, museus e bibliotecas.

Anne ficou furiosa com essas leis **racistas** e injustas. Mas, ainda assim, tinha que obedecê-las — todos os judeus tinham. Se desobedecessem, podiam ser presos. Os Frank ficaram com medo. Mesmo assim, tentaram manter uma vida normal para Anne e Margot. E, quando Anne não pôde ir ao cinema para comemorar o aniversário, os pais exibiram um filme em casa.

Os Estados Unidos entraram na Segunda Guerra Mundial em dezembro de 1941. Durante a guerra, a Grã-Bretanha, a União

Soviética, a China e os Estados Unidos eram chamados de **Aliados**. Juntos, estavam lutando contra a Alemanha, a Itália e o Japão. Esses três países eram chamados de potências do **Eixo**. Apesar das crescentes forças dos Aliados, o poder de Hitler também crescia.

Mais ou menos nessa época, Hitler decidiu tentar acabar com todos os judeus na Europa. Ele chamou esse plano de "Solução final". Quando as tropas alemãs invadiam um país, os judeus eram assassinados na mesma hora ou enviados para campos de concentração, onde eram mortos logo depois. A situação da família Frank piorava a cada dia.

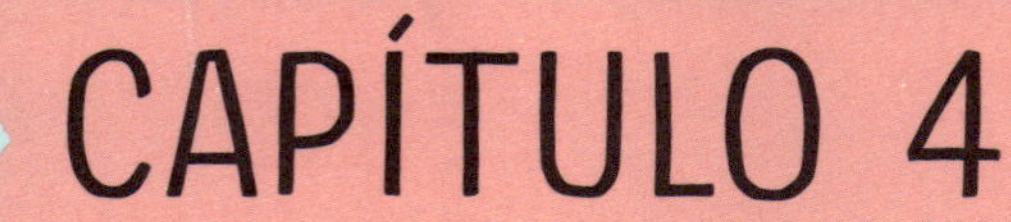

CAPÍTULO 4

SEGUNDA GUERRA MUNDIAL

Leis injustas e estrelas amarelas

Anne e a família Frank não conheciam o plano nazista "Solução final", mas sabiam quantas novas regras eles tinham que seguir só por causa da religião da família. A partir de maio de 1941, os judeus não podiam mais ir aos parques. Outra nova lei também foi aprovada: as crianças judias não podiam estudar com crianças cristãs. E, por isso, tinham que ir para uma escola separada, que se chamava Liceu Judaico. Anne teve que deixar a escola e os amigos que lá fizera.

Apesar de tudo que estava acontecendo, Anne ficou feliz de ir para o Liceu Judaico. Sua amiga Hanneli também estava lá. Todos os professores e alunos eram judeus. E, juntos, estavam sofrendo sob o domínio nazista. A escola era um lugar acolhedor e amigável, com excelentes professores.

Anne adorava os trabalhos escolares. Às vezes, porém, a garota era um pouco falante demais na classe. Um dia, durante a aula de matemática, ela falou tanto que o professor lhe deu uma tarefa: Anne tinha que escrever um ensaio sobre o que significava ser uma "**tagarela**".

Na primavera de 1942, mais mudanças aconteceram para Anne e os colegas de turma. Todos os judeus agora tinham que costurar uma estrela amarela de seis pontas na parte externa de suas roupas. Essa estrela representava a Estrela de Davi,

MITO  FATO

MITO: Caso quisessem, os judeus na Europa podiam escapar para países mais seguros.

FATO: No início da Segunda Guerra Mundial, alguns países permitiram a entrada de refugiados judeus, mas havia rígidos limites em relação a quantas pessoas podiam entrar em cada país. Muitos judeus não conseguiram **vistos** e, conforme a guerra prosseguia, fugir ficou quase impossível.

um importante **símbolo** judaico. Dessa forma, logo de cara, os nazistas podiam ver quem era judeu e quem não era. Os judeus também não podiam andar de bicicleta nem usar transporte público, como bondes.

Otto e Edith queriam muito deixar a Holanda. O casal pretendia levar as meninas para os Estados Unidos, mas o país quase nunca dava vistos a ninguém na Holanda. Dessa forma, a família Frank estava presa ali.

Hora de ir

Anne acordou cedo no dia 12 de junho de 1942. Era seu aniversário de treze anos. Ela mal podia esperar para descer as escadas, onde um presente muito especial a esperava. Lá estava, em cima

da mesa: um diário, com uma capa xadrez vermelha e verde, e um cadeado para que tivesse privacidade. Anne o tinha escolhido alguns dias antes.

Anne tratou seu diário como se fosse um amigo — ela o chamou de Kitty. Disse a Kitty que ia escrever todos seus pensamentos e sentimentos. E tinha certeza de que Kitty sempre a ouviria.

> “Tanta coisa aconteceu, é como se o mundo inteiro tivesse virado de cabeça para baixo. **Mas ainda estou viva**, Kitty, e isso é o que importa, diz o papai.”

Então, em 5 de julho de 1942, os Frank receberam uma carta que mudou a vida deles — mais uma vez. Margot recebeu uma ordem de ir para um **campo de trabalho forçado**. Ela teria que trabalhar até a morte e tinha apenas dezesseis anos.

— PARA — PENSAR

Anne só pôde levar poucas coisas quando a família foi para o esconderijo. O diário foi o item mais precioso que ela levou. Qual é o seu item mais precioso?

Otto e Edith tomaram uma rápida decisão. Otto já estava planejando levar a família para um esconderijo. Ele tinha montado quartos secretos para eles em um **anexo** dentro do prédio onde trabalhava. Agora era a hora. Eles partiriam na manhã seguinte.

Anne só podia levar o que coubesse na mochila da escola dela. A família tinha que evitar chamar a atenção. Ninguém podia saber para onde eles estavam indo.

Em 6 de julho, Anne se despediu do gato da família, Moortje. Ela e os pais fecharam a porta do apartamento e, logo cedo, sob uma chuva quente, apressaram-se pelas ruas de Amsterdã. Estavam indo em direção a uma vida nova e desconhecida. Nada mais voltaria a ser igual.

QUANDO?

Anne ganha um diário no aniversário de treze anos.

12 DE JUNHO DE **1942**

Anne e a família vão para um esconderijo.

6 DE JULHO DE **1942**

CAPÍTULO 5

O ANEXO SECRETO

Escondidos

O esconderijo secreto da família Frank ficava na parte de trás do armazém e do prédio comercial de Otto. De fora, ninguém saberia que o esconderijo estava ali. Havia uma porta secreta escondida no patamar do segundo andar da escada. Quando Anne viu o anexo pela primeira vez, teve que ser corajosa.

Otto já tinha levado comida, roupa de cama, alguns pratos e móveis para o anexo secreto. Um dos funcionários dele tinha construído um banheiro. A família Frank não ia se esconder sozinha. O sócio de Otto, Hermann van Pels, a esposa, Auguste, e o filho adolescente, Peter, dividiriam o lugar com eles. Em novembro, um dentista chamado Fritz Pfeffer também se juntou ao grupo.

O anexo tinha dois pisos principais e um sótão. Havia dois quartinhos no segundo andar. Margot dividia um com os pais. Anne teve que dividir o outro quarto com Fritz, algo que ela odiava. Esse andar tinha um banheiro.

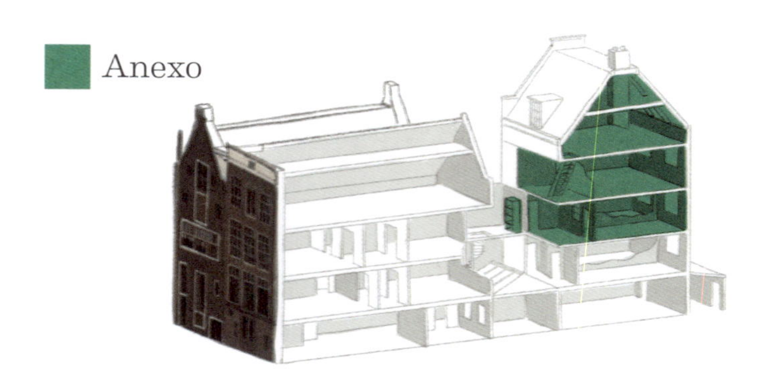

No terceiro andar do anexo, havia um grande ambiente. Era a cozinha e a sala de estar e, à noite, era o quarto de Hermann e Auguste van Pels. Peter dormia em um quartinho ao lado.

As pessoas no anexo não podiam deixar nenhum dos funcionários do escritório nem do armazém saber que elas estavam ali. Em certos horários, não podiam falar mais alto do que um sussurro nem dar descarga no vaso sanitário. Elas tiveram que colocar grandes tábuas nas janelas para que ninguém do lado de fora pudesse ver as luzes.

Qualquer pessoa que soubesse que havia judeus escondidos no anexo secreto poderia entregá-los aos nazistas. Para Anne, isso significava que o mundo exterior tinha acabado. O anexo agora era seu mundo inteiro.

Anne e Kitty

Conforme as semanas viraram meses, Anne continuava presa. Durante o verão e o outono de 1942, mais judeus foram presos e enviados para campos de concentração na Alemanha. Anne estava assustada e às vezes ficava irritada. Ela escrevia em seu diário, Kitty, na maioria dos dias. Para Kitty, confidenciou que a mãe não a entendia de verdade e que o pai a fazia se sentir segura e amada. A família não a tratava como adulta, escreveu ela. Mas, mesmo assim, eles esperavam que ela agisse como se fosse uma.

Anne levava a escrita a sério. Queria publicar o diário um dia. Como todo bom

MITO & FATO

MITO: Anne ficava entediada morando no anexo.

FATO: Anne se manteve ocupada. Ela ajudava a limpar, estudava, escrevia no diário e lia.

autor, Anne reescrevia as partes de que não gostava. Ela usava diálogos e fazia muitas descrições. Anne queria um amigo para conversar, mas não tinha no anexo. Por isso, Kitty se tornou sua melhor amiga.

A garota escreveu sobre o quanto odiava assistir a Fritz, seu colega de quarto, fazer exercícios, sobre as brigas diárias relacionadas a quem podia usar a mesinha do quarto e disse a Kitty que às vezes se sentia sobrecarregada e sem esperança. Em alguns momentos, ela ia ao banheiro para chorar.

Fora do anexo, os Aliados lutavam contra as forças de Hitler. Sete meses depois que os Frank foram para o esconderijo, os Aliados venceram uma batalha em Stalingrado.

Todos no anexo ouviam o rádio baixinho quando podiam. Eles acompanhavam o movimento das tropas aliadas nos jornais.

— PARA — PENSAR

O diário, Kitty, foi o melhor amigo de Anne durante seu período no esconderijo. Pense em um amigo. Como você e ele se apoiam em tempos difíceis?

QUANDO?

A família van Pels se junta aos Frank no anexo.

13 DE JULHO DE 1942

O dentista Fritz Pfeffer se junta aos Frank e aos van Pels no anexo.

16 DE NOVEMBRO DE 1942

CAPÍTULO 6

POR TRÁS DA PORTA

Ajuda de fora

Anne e os outros não ficavam totalmente isolados no anexo. Eles tinham ajudantes: os funcionários de Otto, Bep Voskuijl e Miep Gies; o marido de Miep, Jan; e os dois sócios de Otto, Johannes Kleiman e Victor Kugler. Esses ajudantes não eram judeus, por isso ainda podiam levar uma vida normal. Os ajudantes achavam que o que estava acontecendo com os judeus era errado. E, embora pudessem ser presos, caso fossem pegos, eles levavam suprimentos para a família Frank.

As visitas de Miep e dos demais eram uma distração bem-vinda ao anexo. Visitavam quase todos os dias, geralmente na hora do almoço. Eles levavam revistas, notícias do mundo exterior e, o mais importante, comida.

Anne escrevia muito sobre comida no diário. Quando a primavera de 1943 chegou, estava ficando cada vez mais difícil conseguir alguns alimentos. As pessoas no anexo tinham que comer o que os ajudantes conseguiam desviar sem ninguém perceber. Elas comiam muito feijão, batata, vegetais e pão. Muitas vezes, tinham que comer a mesma coisa, como alface, durante dias, se isso fosse tudo que os ajudantes conseguissem. Uma vez, os moradores do anexo tiveram que comer purê de couve em conserva no jantar. Anne escreveu que só de pensar em comer aquilo ficava enjoada.

Certa vez, os ajudantes conseguiram levar caixotes de morangos. Anne escreveu que comeram só morangos durante dias. E que também fizeram geleia para ter alguma coisa doce para comer.

— PARA — PENSAR

Pessoas como Miep arriscaram a própria liberdade para ajudar a família Frank. Elas estavam lutando contra a injustiça. Fale sobre uma vez em que você defendeu alguma coisa — uma pessoa, uma ideia, até mesmo um animal. O que aconteceu?

A guerra continuava acontecendo. Anne fez catorze anos em junho de 1943. Ela e os demais já estavam no anexo havia um ano.

> “É realmente inacreditável que eu não tenha abandonado todos **os meus ideais**... Mas os mantenho porque, apesar de tudo, eu ainda acredito que as pessoas são realmente boas de coração.”

Mantendo a esperança viva

No outono de 1943, a maioria dos judeus na Holanda tinha sido enviada aos campos de concentração para morrer. Todos os dias, Anne tinha medo de ser descoberta pela Gestapo. Qualquer barulho estranho a enchia de pânico. Será que a Gestapo os tinha encontrado? Então, alguém conhecido subia a escada e todos relaxavam. Era só mais um alarme falso.

Anne e os outros ansiavam pelo dia em que poderiam sair do esconderijo, respirar

ar fresco e correr. Ainda assim, eles estavam acostumados com a vida no esconderijo. Anne e Margot estudaram francês e latim nos livros escolares. Anne lia todos os romances em que conseguia colocar as mãos. Adorava especialmente as revistas de cinema que Victor levava de vez em quando. Sabia o nome de todos os atores e atrizes e em quais filmes estavam estrelando.

Anne ainda abria seu coração no diário. Escreveu que tinha uma quedinha por Peter van Pels, que queria que a mãe pudesse entendê-la melhor, e que ainda acreditava no amor, embora milhões de pessoas estivessem sofrendo.

Em 1944, as notícias da guerra estavam melhorando. Em 6 de junho, os Aliados desembarcaram nas praias da França na invasão do **Dia D**. Depois que **libertaram** a França, a Holanda não ficaria muito atrás. A família Frank tinha certeza disso.

Em 12 de junho de 1944, Anne fez quinze anos. Ela havia passado dois anos no esconderijo. "Talvez até pudesse ir à escola no outono", escreveu a garota no diário. O fim da guerra não podia estar muito longe.

QUANDO?

FEVEREIRO DE 1943	MAIO DE 1943	JULHO DE 1943	JUNHO DE 1944
As forças aliadas combatem os alemães em Stalingrado, na Rússia.	Os nazistas continuam enviando judeus da Holanda para campos de concentração.	As forças aliadas começam a recuperar a Itália.	Os Aliados desembarcam na Normandia, França, no Dia D.

CAPÍTULO 7

OS ÚLTIMOS MESES

A descoberta

Quatro de agosto de 1944. Um dia comum no anexo. E, então, passos pesados são ouvidos vindos da escada. A porta foi aberta com um empurrão. O pior pesadelo de Anne tinha se tornado realidade: a Gestapo os tinha encontrado. Até hoje, ninguém sabe como.

Todos no anexo foram presos. Mais tarde, Miep voltou ao anexo vazio. Ela encontrou Kitty e guardou o diário com cuidado em uma gaveta para protegê-lo. Tinha a esperança de que um dia Anne voltasse para buscá-lo.

Anne e os outros foram enviados primeiro para Westerbork, um **campo de trânsito** na Holanda. Em seguida, foram conduzidos para vagões de gado a Auschwitz, um campo de concentração na Polônia. Assim que chegaram lá, Anne, Edith e Margot foram separadas de Otto. Depois desse dia, Anne nunca mais veria o pai.

Rasparam a cabeça de Anne. Suas roupas foram levadas. Um número de identificação

foi tatuado na parte interna de seu braço. Por causa da sujeira e da lotação no campo, a pele de Anne ficou coberta de feridas. E, por isso, foi enviada para viver em um **alojamento** para pessoas com doenças de pele. Alguns prisioneiros sobreviveram em Auschwitz fazendo trabalhos pesados, como quebrar pedras. Só que muitos mais foram mortos.

Em outubro de 1944, quatro meses depois de deixarem o anexo, Anne e Margot foram enviadas para o campo de concentração de Bergen-Belsen, na Alemanha. A essa altura, as irmãs estavam muito fracas devido à fome. Além disso, viviam em alojamentos imundos e gelados. Em pouco tempo, elas pegaram uma doença chamada **tifo**. A mãe delas foi mantida em Auschwitz. Anne e Margot estavam sozinhas. E estavam morrendo.

O legado de Anne

Em 15 de abril de 1945, as tropas britânicas libertaram Bergen-Belsen, mas Anne nunca chegou a ver esse momento. Ela morreu de tifo em fevereiro de 1945, alguns dias após Margot. Ninguém sabe a data exata da morte dela. Ninguém da família estava lhe fazendo companhia. As últimas palavras que escreveu no diário foram sobre um futuro que ela nunca teria. A Alemanha **se rendeu** em 7 de maio de 1945, e a guerra finalmente acabou. Quase todos do anexo tinham morrido. Apenas Otto Frank estava vivo.

Assim que pôde, Otto voltou a Amsterdã. Miep deu a ele o diário de Anne. Otto lembrou que Anne queria publicá-lo. Ele ainda poderia realizar esse sonho da filha.

> [Eu] continuo tentando encontrar um jeito de **me tornar o que eu gostaria muito de ser** e o que eu poderia ser se [...] não houvesse outras pessoas vivendo no mundo.

O diário de Anne foi publicado com o título de *O anexo secreto*. Mais tarde, o título mudou para *Anne Frank: O diário de uma jovem*. A voz poderosa de Anne transparecia em suas anotações, e as pessoas se conectaram profundamente com suas palavras. Pessoas de todo o mundo escreveram para Otto contando o quanto a escrita de Anne significava para elas. O diário foi **traduzido** para setenta

idiomas. Mais de trinta milhões de cópias foram vendidas.

A escrita de Anne ainda conversa com os leitores de hoje. Ao ler o diário da garota, podemos aprender a história das pessoas que viveram o Holocausto e a Segunda Guerra Mundial. Podemos ver que, mesmo diante do medo e da morte, alguém tão especial quanto Anne pode ter esperança e ser corajosa.

— PARA — PENSAR

Anne escreveu há muito tempo, mas as pessoas ainda encontram significado em suas palavras. O que você quer dizer às crianças no futuro sobre o tempo em que você está vivendo?

QUANDO?

A família Frank é presa e levada do anexo secreto.

4 DE AGOSTO DE 1944

Anne e a família são levadas para Auschwitz.w

3 DE SETEMBRO DE 1944

Anne e Margot são levadas para Bergen-Belsen.

30 DE OUTUBRO DE 1944

Anne e Margot morrem de tifo em Bergen-Belsen.

FEVEREIRO 1945

Os Aliados libertam Bergen-Belsen.

15 DE ABRIL DE 1945

Os alemães se rendem, e a Segunda Guerra termina na Europa.

7 DE MAIO DE 1945

CAPÍTULO 8

ENTÃO... QUEM FOI ANNE FRANK

Desafio aceito!

Agora que você aprendeu tudo sobre Anne Frank, vamos testar seus conhecimentos em um pequeno questionário sobre quem, o quê, quando, onde, por quê e como. Fique à vontade para reler o texto e encontrar as respostas se precisar, mas tente se lembrar primeiro.

1 Onde nasceu Anne Frank?

- A - Frankfurt, na Alemanha
- B - Amsterdã, na Holanda
- C - Varsóvia, na Polônia
- D - Viena, na Áustria

2 De quem ela se despediu antes de se esconder?

- A - Sua irmã, Margot
- B - Sua amiga, Hanneli
- C - Seu pai, Otto
- D - Seu gato, Moortje

3 Onde ficava o anexo secreto?

- A - No sótão do apartamento da família Frank, em Amsterdã
- B - No porão da casa da avó de Anne, na Basileia, Suíça
- C - No prédio comercial de Otto Frank, em Amsterdã
- D - Em uma fazenda no campo, na Holanda

4 Com quem Anne dividia um quarto no anexo secreto?

- A - Margot, sua irmã
- B - Fritz Pfeffer, o dentista
- C - Peter van Pels
- D - Edith e Otto, seus pais

5 Onde foi que Anne morreu?

- A - No campo de concentração de Bergen-Belsen, na Alemanha
- B - No anexo secreto, em Amsterdã
- C - No campo de concentração de Auschwitz, na Polônia
- D - No campo de trânsito de Westerbork, na Holanda

6 De que doença Anne morreu?

- A - Tuberculose
- B - Tifo
- C - Difteria
- D - Sarna

7 Que nome Anne deu ao diário?

- A - Bichano
- B - Hanneli
- C - Kitty
- D - Dinah

8 Quantos anos Anne tinha quando foi presa e levada do anexo?

- A - Treze
- B - Doze
- C - Dezessete
- D - Quinze

9 Por que a família Frank deixou a Alemanha e foi morar em Amsterdã?

- A - Otto queria começar um novo negócio
- B - Eles foram presos pelos nazistas
- C - Os nazistas estavam dificultando a vida dos judeus na Alemanha
- D - Otto e Edith estavam se divorciando

10 Que símbolo os nazistas forçaram os judeus a usarem em Amsterdã?

- A - Uma braçadeira preta
- B - Uma faixa roxa
- C - Uma camisa vermelha
- D - Uma estrela amarela

Respostas: 1. A; 2. D; 3. C; 4. B; 5. A; 6. B; 7. C; 8. D; 9. C; 10. D

Nosso mundo

Como o diário de Anne fez a diferença nos dias de hoje? Vejamos algumas maneiras pelas quais nosso mundo é melhor por causa das palavras de Anne:

- O diário de Anne é lido por crianças em escolas de todo o mundo. Os professores usam o diário para ensinar às crianças a respeito do Holocausto, para que nós possamos garantir que os erros do passado nunca se repitam.

- O anexo secreto é agora um museu chamado Casa de Anne Frank. O museu tem programas sobre justiça e **tolerância**. Todo ano, mais de 1 milhão de pessoas visita o local para aprender mais sobre a vida de Anne e a vida de todos os judeus durante o Holocausto.

- Organizações de todo o mundo usam o **legado** de Anne para inspirar o trabalho **humanitário**. O Fundo Anne Frank, do Reino Unido, trabalha para combater o preconceito nos jovens. O Centro Anne Frank de Respeito Mútuo oferece programação artística e educacional voltada para a criação de um mundo mais gentil.

Vamos pensar mais acerca da escrita de Anne, o que ela queria ver no mundo e como nossa própria vida é semelhante ou diferente da dela.

- Se Anne estivesse viva hoje e você pudesse fazer qualquer pergunta que quisesse, o que você perguntaria a ela e por quê?

- Pense em um jeito pelo qual o diário de Anne pode inspirar você a fazer uma mudança na sua própria vida. Qual seria essa mudança?

- De que maneira nosso mundo hoje é semelhante ao mundo de Anne? De que maneira nosso mundo é diferente?

Glossário

Aliados: grupo de países que lutou contra a Alemanha durante a Segunda Guerra Mundial

Alojamento: grupo de edifícios para prisioneiros, soldados ou trabalhadores ficarem

Anexo: espaço ou edifício ligado a outra construção

Antissemitismo: ato de não gostar de pessoas ou tratá-las injustamente porque são judias

Bode expiatório: alguém que é culpado por algo que não fez

Campos de concentração: lugar onde um grande número de pessoas fica preso sem comida decente, água, roupas ou espaço

Campo de trabalho forçado: campo de prisioneiros no qual as pessoas são obrigadas a trabalhar muito

Campo de trânsito: campo para grupos de pessoas que estão se mudando ou sendo transferidas para um lugar diferente

Democracia: governo em que todos participam elegendo líderes

Dia D: em 6 de junho de 1944, os Aliados invadiram o norte da França para tentar libertá-la dos nazistas

Discriminado: alguém que é tratado de forma injusta ou diferente por causa de sua raça, sexo, orientação sexual, religião ou idade

Ditadura: tipo de governo autoritário, no qual um líder toma todas as decisões e controla todo o poder

Eixo: trata-se da Alemanha e dos países que lutaram ao lado dela durante a Segunda Guerra Mundial, incluindo Itália e Japão

Gestapo: polícia secreta da Alemanha nazista

Holocausto: assassinato em massa de mais de seis milhões de judeus pelos nazistas de Hitler na Europa durante a Segunda Guerra Mundial (1941 a 1945)

Humanitário: ato de promover o bem-estar das pessoas e tornar a vida delas melhor

Judeu: palavra usada para descrever uma pessoa que segue a religião do judaísmo ou que se identifica culturalmente com o povo judeu

Legado: influência duradoura de alguém sobre outras pessoas

Libertar: tirar da prisão

Nazista: membro do Partido Nacional Socialista dos Trabalhadores Alemães, liderado por Adolf Hitler

Neutro: não apoiar um lado nem outro em um conflito

Primeira Guerra Mundial: guerra que durou de 1914 a 1918 e foi travada principalmente entre os Aliados (Estados Unidos, Grã-Bretanha, França, Rússia e Itália) e as Potências Centrais (Alemanha, Áustria-Hungria, Bulgária e Império Otomano)

Racista: discriminar alguém de uma raça diferente com base na crença de que a sua própria raça é superior

Se render: desistir por causa de um oponente

Segunda Guerra Mundial: guerra que durou de 1939 a 1945, travada principalmente entre os Aliados (Estados Unidos, Grã-Bretanha, França, União Soviética e China) e o Eixo (Alemanha, Itália e Japão)

Shabat: o sábado judaico, ou dia de descanso e oração, que começa na sexta-feira à noite e termina na noite de sábado

Símbolo: sinal ou objeto que representa alguma coisa

SS (Schutzstaffel): polícia nazista

Tagarela: pessoa que fala muito

Tifo: doença infecciosa e perigosa que causa febre, erupção cutânea e alucinações, espalhada por carrapatos, pulgas e piolhos

Tolerância: aceitar pessoas cujas crenças ou práticas são diferentes das suas

Traduzir: trocar palavras de um idioma para outro

Visto: documento oficial que permite às pessoas que entrem, permaneçam ou saiam de um país por determinado motivo e período de tempo

Bibliografia

ANNE Frank House. **The Secret Annex; The Timeline; Who Was Anne Frank?** Disponíveis em: AnneFrank.org/en

FRANK, Anne. **O diário de Anne Frank**. Rio de Janeiro: Record, 1995 (95ª edição).

IMPERIAL War Museums. **The Liberation of Bergen-Belsen**. Disponível em: IWM.org.uk/history/the-liberation-of-bergen-belsen.

MOLLOY, Annette. **Anne Frank's Childhood Friend Tells of Their Traumatic Final Meeting at Bergen-Belsen and Says the Teenager 'Always Wanted to Be Heard'**. Independent, 10 mar. 2015. Disponível em: independent.co.uk/news/people/anne-franks-childhood-friend-tells-of-their-traumatic-final-meeting-at-bergen-belsen-and-says-the-10098632.html.

MÜLLER, Melissa. **Anne Frank: The Biography.** Nova York: Metropolitan Books, 2013.

OZICK, Cynthia. **Who Owns Anne Frank?**. New Yorker, 29 set. 1997. Disponível em: NewYorker.com/magazine/1997/10/06/who-owns-anne-frank.

PRINS, Erika e BROEK, Gertjan. **One Day They Simply Weren't There Any More**. Casa de Anne Frank, mar. 2015. Disponível em: AnneFrank.org/en/downloads/filer_public/08/b3/08b3ff12-d8c1-4964-b9ec-e17a7b035a76/one_day_they _simply_weren.pdf.

PROSE, Francine. **Anne Frank: The Book, the Life, the Afterlife.** Nova York: HarperCollins, 2009.

UNITED States Holocaust Memorial Museum. **Anne Frank Biography**. Holocaust Encyclopedia. Disponível em: Encyclopedia.USHMM.org/content/en/article/anne-frank-biography.

UNITED States Holocaust Memorial Museum. **Final Solution: Overview**. Holocaust Encyclopedia. Disponível em: Encyclopedia.USHMM.org/content/en/article/final-solution-overview.

WINTER, Michael. **New Research Sets Anne Frank's Death Earlier**. USA Today, 31 mar. 2015. Disponível em: USAToday.com/story/news/2015/03/31/anne-frank-death-probably-february-1945/70742898.

WORLAND, Justin. **Anne Frank's Diary Now Has a Co-Author to Extend Copyright**. Time, 15 nov. 2015. Disponível em: Time.com/4113855/anne-frank-diary-co-author.

Para Leo, minha centelha criativa

Agradecimentos

Agradeço profundamente à Casa de Anne Frank, em Amsterdã, na Holanda. O museu preserva o anexo secreto e fornece uma riqueza de informações a respeito da vida de Anne e da história ao redor. Eu me baseei nesse material muitas vezes, inclusive no tour virtual do próprio anexo. Também gostaria de agradecer à minha editora, Orli Zuravicky, que me deu a chance de analisar a vida de Anne e me deu um feedback muito inteligente. E, por fim, gostaria de expressar minha gratidão aos combatentes da liberdade em todos os lugares. Ler e escrever sobre as experiências de Anne às vezes é assustador, mas fortaleceu a minha determinação de que o meu país nunca deve seguir o caminho da Alemanha nazista. Defender nossa democracia seria o melhor tributo ao legado de Anne.

Sobre a autora

EMMA CARLSON BERNE escreveu muitos livros para jovens, incluindo *A Hanukkah Celebration* (Rockridge Press, 2020) e *Books by Horseback* (Little Bee, 2021). Emma costuma escrever sobre tópicos relacionados à vida, à história e à cultura judaicas e já publicou títulos sobre a Kristallnacht (Noite dos Cristais) e o Kindertransport (transporte de crianças). Como judia, Emma agradece a oportunidade de explorar esses períodos da história de seu povo.
Emma mora em Cincinnati, no estado de Ohio, onde costuma visitar escolas para falar sobre escrita e a vida de autora. Emma gosta de andar a cavalo, fazer trilhas, acampar e cozinhar. Ela é mãe de três meninos e de dois gatinhos. Mais sobre Emma e seus livros podem ser encontrados em EmmaCarlsonBerne.com.

Sobre a ilustradora

ANNITA SOBLE já fez ilustrações para uma grande variedade de mídias, incluindo revistas, cartões comemorativos e animações. Ela mora com o marido e os cinco filhos no Brooklyn, em Nova York.

Primeira edição Julho/2022 · Primeira reimpressão
Papel de miolo Offset 150g
Tipografias Eames Century Modern,
Sofa Sans e Brother 1816
Gráfica Santa Marta